Bánat
Sadness – Wehmut – Chagrin

Játék
Game – Spiel – Jeu

4

Koppintós
Knocking – Klopfen – Frappez

4

Lépegetős
Ambling along – Schreitend – Trotti-trotta

5/a

* seconda volta / másodszorra

5/b

ossia: 5/a ÷ 5/b

Mese
Children's tale – Märchen – Conte

Andante

6

Pattogós
Crackling – Gepolter – Crépitement

Álmodozó
Day-dreaming – Träumend – Sur son nuage

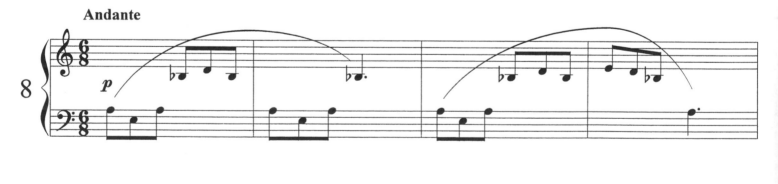

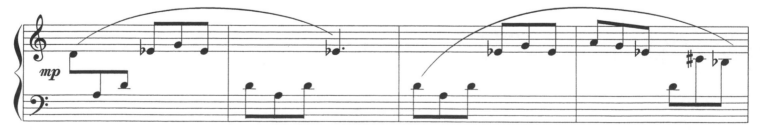

Kiszámolós
Counting rhymes – Abzählspiel – Comptine

Kergetőző
Chasing – Herumjagend – Poursuite

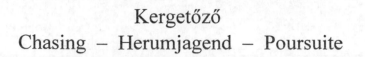

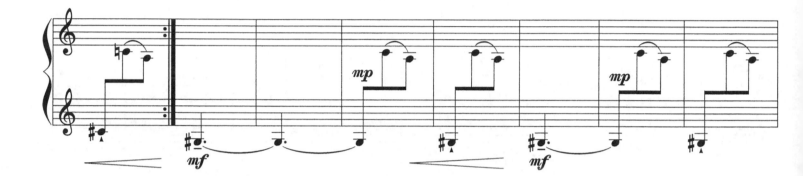

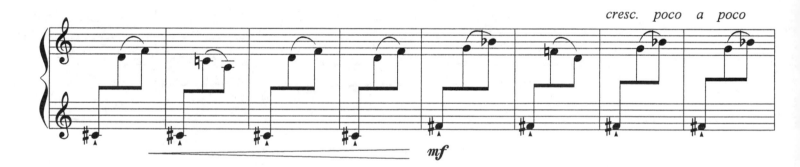

Fanfáros
Fanfares – Fanfare – Fanfare

Vánszorgós
Trudging along – Schleppend – Sans se presser

Morzsoló
Grinding – Bröckelnd – En miettes

13

Keresgélő
Searching – Suchend – Furetage

Kanyargós
Winding – Schlängelnd – Tours et détours

Huszáros
Hussar-style – Husarenarting – À la hussarde

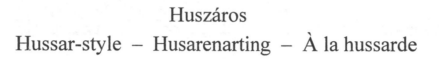

Békakirály
The frog king – Froschkönig – Le roi des grenouilles

Zakatoló
Clattering – Ratternd – Cliquetis

poco rit.

Ködben
In the mist – Im Nebel – Dans le brouillard

Téli utazás
Winter journey – Winterreise – Voyage d'hiver

Csodabarlang
Cave of wonders – Wundergrotte – La grotte aux miracles

Sostenuto

21

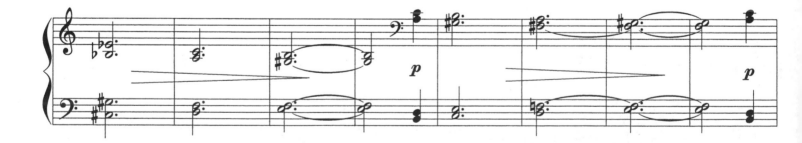

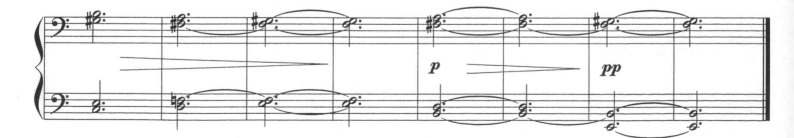

Csacsifogat
Donkey cart – Eselgespann – La cariole de l'ânon

Ugra-bugra
Jumping around – Hopsen – Sautillons, sautillez

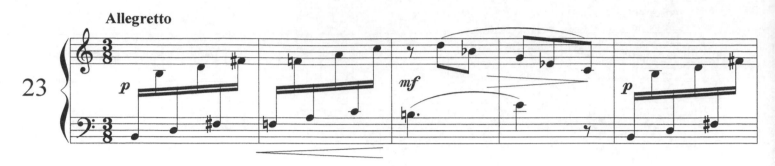

Sürgés-forgás
Hustle and bustle – Leben und Treiben – Plus vite que ça!

Döcögős
Hobbling along – Holprig – Cahin-caha

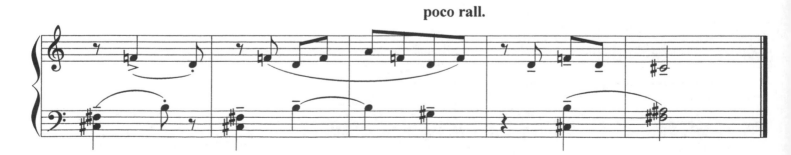

Esti felhők
Evening clouds – Abendwolken – Nuages du soir

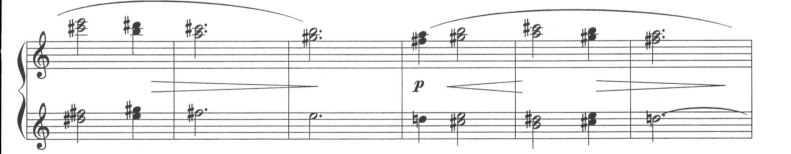

Jégvirágok
Frost flowers – Eisblumen – Fleurs de givre

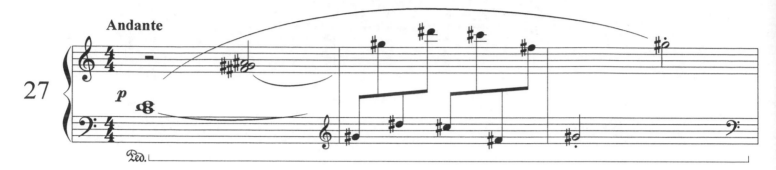

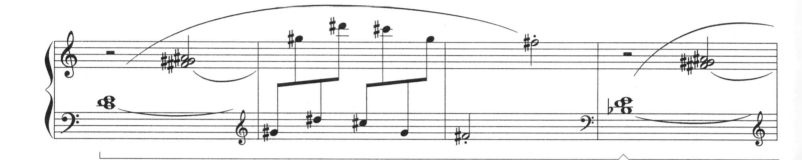

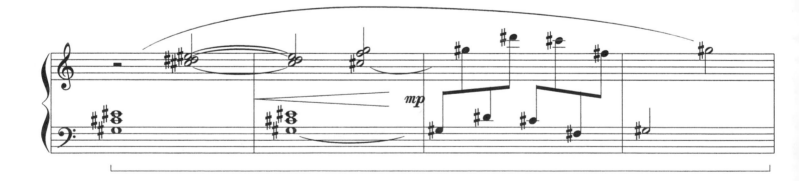

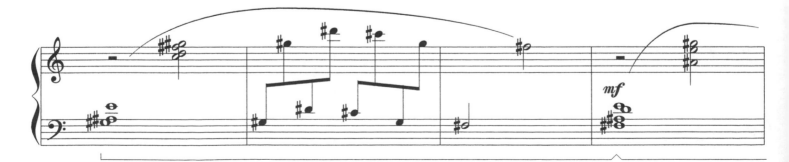

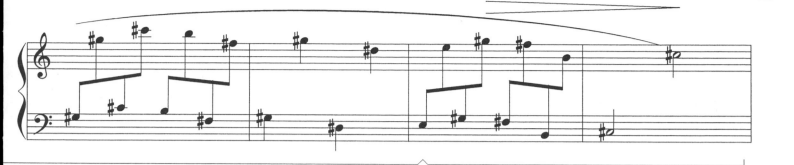

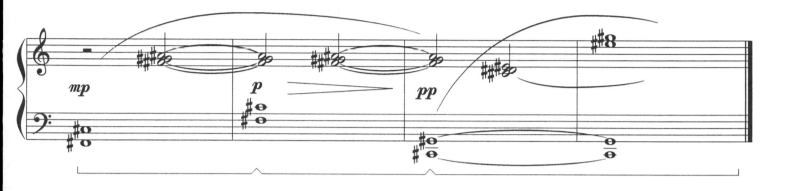

Forgószél
Whirlwind – Wirbelwind – Tourbillon

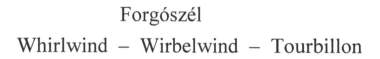

Allegro scorrevole

28

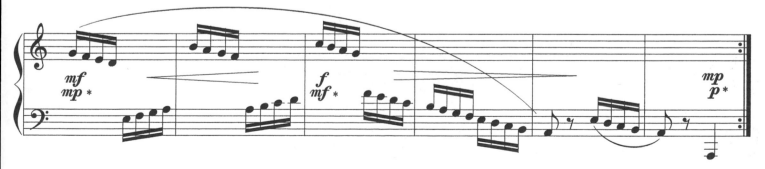

* seconda volta / másodszorra

Ódon kastély
Ancient castle – Altes Schloss – Le vieux château

Mérgelődő
Grumpily – Ärgerlich – Marmonneurs et marmottans

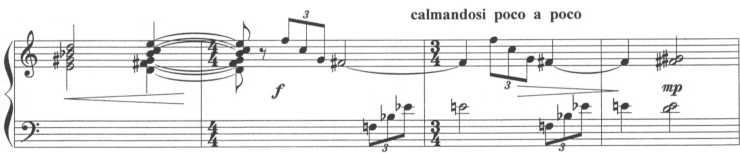

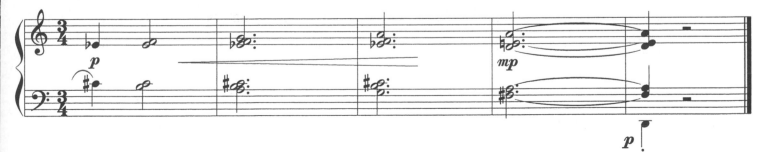

TARTALOM
CONTENTS – INHALT – INDEX